Inglés Inglés Inglés Inglés Inglés Inglés
as. sin Barreras. sin Barreras. sin Barreras. sin Barre

nglés Inglés Inglés Inglés Inglés
Barreras. sin Barreras. sin Barreras. sin Barreras. sin Barreras. sin Barreras. sin

Inglés Inglés Inglés Inglés Inglés Inglés
as. sin Barreras. sin Barreras. sin Barreras. sin Barreras. sin Barreras. sin Barre

nglés Inglés Inglés Inglés Inglés Inglés
Barreras. sin Barreras. sin Barreras. sin Barreras. sin Barreras. sin Barreras. sin

Inglés Inglés Inglés Inglés Inglés Inglés
as. sin Barreras. sin Barreras. sin Barreras. sin Barreras. sin Barreras. sin Barre

nglés Inglés Inglés Inglés Inglés Inglés
Barreras. sin Barreras. sin Barreras. sin Barreras. sin Barreras. sin Barreras. sin

Inglés Inglés Inglés Inglés Inglés Inglés
as. sin Barreras. sin Barreras. sin Barreras. sin Barreras. sin Barreras. sin Barre

nglés Inglés Inglés Inglés Inglés Inglés
Barreras. sin Barreras. sin Barreras. sin Barreras. sin Barreras. sin Barreras. sin

Inglés Inglés Inglés Inglés Inglés Inglés
as. sin Barreras. sin Barreras. sin Barreras. sin Barreras. sin Barreras. sin Barre

nglés Inglés Inglés Inglés Inglés Inglés
Barreras. sin Barreras. sin Barreras. sin Barreras. sin Barreras. sin Barreras. sin

Inglés Inglés Inglés Inglés Inglés Inglés
as. sin Barreras. sin Barreras. sin Barreras. sin Barreras. sin Barreras. sin Barre

nglés Inglés Inglés Inglés Inglés Inglés
Barreras. sin Barreras. sin Barreras. sin Barreras. sin Barreras. sin Barreras. sin

Inglés Inglés Inglés Inglés Inglés Inglés
as. sin Barreras. sin Barreras. sin Barreras. sin Barreras. sin Barreras. sin Barre

nglés Inglés Inglés Inglés Inglés Inglés
Barreras. sin Barreras. sin Barreras. sin Barreras. sin Barreras. sin Barreras. sin

Inglés Inglés Inglés Inglés Inglés Inglés
as. sin Barreras. sin Barreras. sin Barreras. sin Barreras. sin Barreras. sin Barre

nglés Inglés Inglés Inglés Inglés Inglés
Barreras. sin Barreras. sin Barreras. sin Barreras. sin Barreras. sin Barreras. sin

Inglés Inglés Inglés Inglés Inglés Inglés
as. sin Barreras. sin Barreras. sin Barreras. sin Barreras. sin Barreras. sin Barre

Inglés sin Barreras®

El Video-Maestro de Inglés Conversacional

10 Conversación informal

Manual

ISBN: 1-59172-302-7
ISBN: 978-1-59172-302-8

I705VM10

Dedicatoria

Dedicamos este curso a todos los hispanos que tomaron la iniciativa de traer el idioma inglés a sus vidas para expandir sus horizontes. Los sueños pueden convertirse en realidad. Con gran respeto y afecto,

Sus amigos de Inglés sin Barreras

Metodología Center for Applied Linguistics

Texto Karen Peratt, Cristina Ribeiro
Center for Applied Linguistics
International Media Access Inc.

Ilustraciones Gabriela Cabrera, Linda Beckerman

Diseño gráfico Magnus Ekelund, Efrain Barrera, bluefisch design

Guión adaptado - inglés Karen Peratt

Guión adaptado - español Cristina Ribeiro

Edición Betsabé Mazzolotti, Horacio Gosparini, Yuri Murúa, Damián Quevedo, Mike Ramirez

Aprendamos viajando Marcos Said, Pablo Moreno, Alfredo León

Aprendamos conversando Howard Beckerman
Producción: Heartworks International, Inc.

Música Erich Bulling

Fotografía Alejandro Toro, Alfredo León

Producción en línea Miguel Rueda

Dirección - video Loretta G. Seyer, Patricio Stark

Coordinación de proyecto Juliet Flores, Cristina Ribeiro

Dirección de proyecto Karen Peratt, Arleen Nakama

Directora ejecutiva Valeria Rico

Productor ejecutivo y director creativo José Luis Nazar

Conversación informal

Índice

1 Notas

Lección

1

Notas

Le recomendamos que lea las palabras del vocabulario antes de ver el video correspondiente a esta lección. Éstas son las palabras más importantes de esta lección.

promotion	*ascenso*
qualifications	*requisitos, título*
situation	*situación*
responsibility	*responsabilidad*
salesperson	*vendedor(a)*
assistant manager	*ayudante de gerencia subgerente*
original	*original*
rude	*grosero(a), maleducado(a)*
polite	*educado(a), cortés*
relationship	*relación*
while	*mientras*
small talk	*charla de carácter superficial o informal*
(to) supervise	*supervisar*
(to) make small talk	*tener una charla de carácter superficial o informal*
(to) whisper	*susurrar*
(to) imagine	*imaginar*
(to) take a break	*tomarse un descanso*
(to) explain	*explicar*

Más vocabulario

Keep me posted.	*Mantenme al corriente.*
I don't think so.	*Creo que no.*
Take a guess.	*Adivina.*
for instance	*por ejemplo*
football game	*partido de fútbol*
half time	*descanso*

Elementos esenciales

Esta sección destaca los elementos básicos de esta lección. Lea detenidamente lo que incluimos en ella.

a break	*una pausa*
(to) take a break	*hacer una pausa, tomarse un descanso*
polite	*cortés*
impolite (or rude)	*descortés, maleducado(a)*
formal	*formal*
informal	*informal*
personal	*personal*
impersonal	*impersonal*

Aprenda y practique

Le recomendamos que aprenda las expresiones y oraciones que se incluyen en esta lección. Practique usando lo aprendido cada día.

Have I ever been late?
¿He llegado tarde alguna vez?

Have you ever eaten paella?
¿Has comido paella alguna vez?

Has he ever gone ice skating?
¿Ha ido a patinar sobre hielo alguna vez?

Has she ever tried coconut ice cream?
¿Ha probado helado de coco alguna vez?

Has he ever studied German?
¿Ha estudiado alemán alguna vez?

Have we ever drunk beer?
¿Hemos tomado cerveza alguna vez?

el presente perfecto, pg. 40

Vocabulario

Have they ever taken a train to New York?
¿Han tomado un tren a Nueva York alguna vez?

Have you ever been late?
¿Ha llegado usted tarde alguna vez?
Yes, I have. / No, I haven't
Sí. / No.

Has she ever eaten paella?
¿Ha comido paella alguna vez?
Yes, she has. / No, she hasn't.
Sí. / No.

Have you seen that movie?
¿Ha visto usted esa película?

Have you eaten lunch?
¿Has almorzado?

Have you ever seen a French movie?
¿Ha visto usted una película francesa alguna vez?

Have you ever eaten pizza?
¿Ha comido usted pizza alguna vez?

Apuntes

Ascensos

Si usted está cumpliendo satisfactoriamente con su trabajo y le gustaría asumir más responsabilidades, debería hablar con su supervisor acerca de un ascenso. Un ascenso implica generalmente más responsabilidad y más sueldo. Le recomendamos que dé los siguientes pasos antes de conversar con su jefe.

1 Haga una lista de los logros obtenidos y del trabajo realizado en la compañía.
2 Prepárese para explicar sus aptitudes y experiencia.
3 Asegúrese de poder explicar con claridad sus objetivos profesionales.
4 Concierte una cita con su supervisor.

Su supervisor debería agradecer la oportunidad de hablar con usted sobre su futuro en la compañía. Sea honesto al hablar de sí mismo y al describir sus objetivos, y no se olvide de ser cortés. A veces, no es posible conseguir un ascenso, mayores responsabilidades o un aumento de sueldo. Si éste fuera el caso, pídale consejo a su supervisor o gerente. Él puede ayudarle dándole consejos para mejorar su rendimiento u ofreciéndole alternativas que le permitan conseguir un ascenso, como por ejemplo, trabajar en otro departamento de la compañía.

El uso de "ever"

La palabra **ever** se usa en situaciones que sucedieron en algún momento del pasado y se incluye con frequencia en conversaciones informales, en preguntas tales como: **Have you ever been to Chicago?** (¿Ha estado alguna vez en Chicago?). Este modelo llamado presente perfecto incluye el verbo **have** con otro verbo en participio pasado tales como **been**, **taken**, **seen**, etc. Veamos algunos ejemplos:

el presente perfecto, pg. 40

Have you called your brother today?
¿Has llamado a tu hermano hoy?
Have you ever called your cousin in Toronto?
¿Has llamado a tu primo de Toronto alguna vez?

Have you seen that movie?
¿Ha visto usted esa película?
Have you ever seen a French movie?
¿Ha visto usted una película francesa alguna vez?

Have you eaten lunch?
¿Ha almorzado usted?
Have you ever eaten pizza?
¿Ha comido usted pizza alguna vez?

Se pueden usar respuestas cortas para contestar a esta clase de preguntas.

Have you ever seen a French movie?
Yes, I have. / No, I haven't.
¿Has visto una película francesa alguna vez?
Sí. / No.

Las preguntas con **ever** le permiten relacionarse con compañeros de trabajo y hacer nuevas amistades.

"Small talk"

Mantener una charla informal no es tan fácil. Hay que tener en cuenta muchos factores:

¿Cuán informal es la situación? ¿Está usted hablando con un buen amigo?
¿Con sus compañeros de trabajo? ¿Con su jefe?
¿Dónde están hablando? ¿En el trabajo? ¿En una fiesta? ¿En la iglesia?

Pensar en ello le ayudará a decidir cuáles son los temas de conversación más adecuados y cuán personales deberán ser sus preguntas y respuestas. Hay algunos temas que son demasiado personales como para discutirlos en una charla informal. Es preferible evitar los temas relacionados con precios y sueldos. Tampoco es apropiado dar detalles acerca de la salud y de la religión.

I'd rather not say.	*Preferiría no comentarlo.*
I don't know.	*No sé.*
I forgot.	*No lo recuerdo.*
I'm not sure.	*No estoy seguro.*

Piense en los lugares donde suele mantener charlas informarles. ¿Puede dibujarlos en un diagrama como éste?

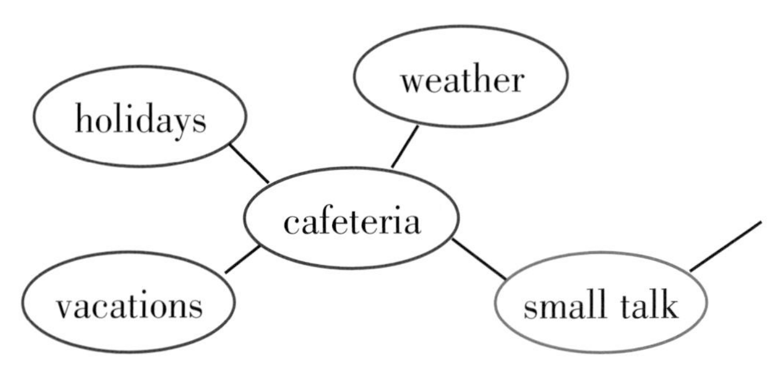

1 Clase

Los diagramas le permiten organizar la información. Muestran las diferencias y similitudes entre varios temas.

Opuestos

polite *cortés*	impolite (or rude) *maleducado(a)*
personal *personal*	impersonal *impersonal*
formal *formal*	informal *informal*

A menudo, la forma negativa de una palabra se construye con el prefijo **im** o **in**. ¿Conoce otras palabras que tengan el mismo prefijo? Veamos algunas.

appropriate *adecuado(a)*	inappropriate *inadecuado(a)*
considerate *atento(a)*	inconsiderate *desconsiderado(a)*
significant *importante*	insignificant *insignificante*

Un es otro prefijo que significa “no”. Fíjese en estas palabras.

important *importante*	unimportant *sin importancia*
real *real*	unreal *irreal*
believable *creíble*	unbelievable *increíble*
attractive *atractivo*	unattractive *sin atractivo*

El empleado del mes

En inglés, hay muchas expresiones parecidas a **employee of the month** (el empleado del mes).

He aquí algunos ejemplos.

manager-of-the-month	*el gerente del mes*
salesman-of-the-year	*el vendedor del año*
movie-of-the-week	*la película de la semana*
special-of-the-day	*la oferta especial del día*
sale-of-the-century	*la venta del siglo*
end-of-the-season-sale	*liquidación de final de temporada*

¿Alguna vez lo han elegido “empleado del mes”? ¿Ha ganado algún premio al mérito? Comparta sus logros con un amigo.

1 Diálogo

Éste es el texto completo del diálogo incluido en el video. Usted hará el papel del espectador **(viewer)**. Si le hacen una pregunta personal, conteste usando información personal. Tenga en cuenta que las respuestas del espectador que le proporcionamos no son las únicas respuestas correctas.

Viendo el partido

Amy	Wow! This is a great game! *¡Vaya! ¡Este juego es fantástico!*
Robert	It sure is. I am so happy my team is winning! *Desde luego. ¡Me hace tan feliz que mi equipo esté ganando!*
Kathy	Well, I'm not happy. My team is losing. *Bueno, yo no estoy contenta. Mi equipo está perdiendo.*
Ann	Hey, no fighting! Let's talk about something else. *¡Eh, no discutamos! Hablemos de otra cosa.*
Kathy	Football is okay, but I like soccer. *El fútbol americano está bien, pero a mí me gusta el fútbol.*
Amy	Do you play soccer? *¿Juega usted al fútbol?*
Viewer *(Usted)*	Yes, I do. / No, I don't. Do you? *Sí. / No. ¿Y usted?*

Amy	Me? No. *¿Yo? No.*
Robert	I play every Saturday with a group of friends, including Kathy. *Yo juego todos los sábados con un grupo de amigos, Kathy incluida.*
Amy	Really? Where do you play? *¿De verdad? ¿Dónde juegan?*
Robert	We play at the park… *Jugamos en el parque...*
Kathy	…the one near the school. *… el que está cerca de la escuela.*
Amy	I know that park. I've played tennis there before. You should come to the park with me and play tennis sometime. *Oh, conozco ese parque. He jugado al tenis ahí.* *Debería usted venir al parque a jugar al tenis conmigo alguna vez.*
Viewer *(Usted)*	Thanks, I'd like to. *Gracias, me gustaría.*
Ann	Does anyone want more soda? *¿Alguien quiere más refresco?*
Kathy	I'll have some, please. Amy, I saw your new car. It's very nice. *Yo quiero uno, por favor.* *Amy, vi tu nuevo automóvil. Es muy lindo.*

Amy	Yes. I bought it last week. *Sí. Lo compré la semana pasada.*
Robert	I saw it, too. It is nice. How much did it cost? *Yo también lo vi. Es lindo. ¿Cuánto costó?*
Amy	Oh, the price wasn't too bad. Hey, look! What a play! *Oh, no fue tan caro.* *¡Eh, miren! ¡Qué jugada!*

spoilsport

Esta expresión se usa para indicar que una persona no acepta ser derrotada en deportes u otros juegos.

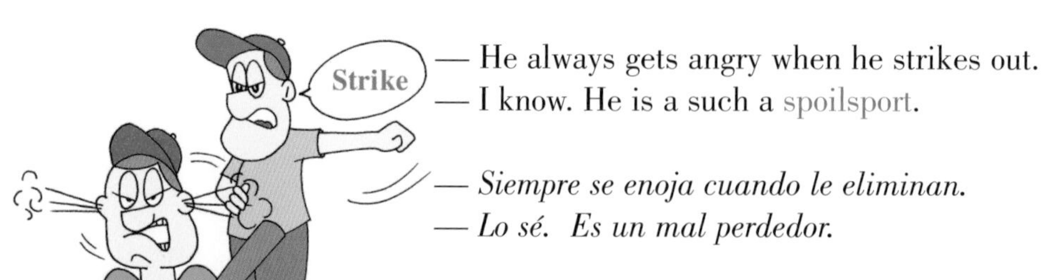

— He always gets angry when he strikes out.
— I know. He is a such a spoilsport.

— *Siempre se enoja cuando le eliminan.*
— *Lo sé. Es un mal perdedor.*

Lección

Notas

Vocabulario 2

Le recomendamos que lea las palabras del vocabulario antes de ver el video correspondiente a esta lección. Éstas son las palabras más importantes de esta lección.

airplane — *avión*
moon — *luna*
coffee break — *descanso para tomar café*
co-worker — *compañero(a) de trabajo*
workplace — *lugar de trabajo*
appointment — *cita*
definite — *definitivo(a)*
must — *deber*
probability — *probabilidad*
possibility — *posibilidad*
business trip — *viaje de negocios*
team — *equipo*
dangerous — *peligroso(a)*
politics — *política*
religion — *religión*
gossip — *chisme, cotilleo*
price — *precio*
(to) participate — *participar*
enjoyable — *agradable, divertido(a)*
(to) improve — *mejorar*
(to) avoid — *evitar*
(to) allow — *permitir*
(to) get back to — *volver a / regresar a*
(to) get married — *casarse*

2 Vocabulario

Aprenda y practique

Le recomendamos que aprenda las expresiones y oraciones que se incluyen en esta lección. Practique usando lo aprendido cada día.

I have never visited New York.
Nunca he visitado Nueva York.

You have never seen her cousin.
Nunca has visto a su primo.

He has never lived in San Francisco.
Él nunca ha vivido en San Francisco.

She has never taken a photo of his family.
Ella nunca ha tomado una foto de su familia.

He has never spoken Italian.
Él nunca ha hablado italiano.

We have never thought that.
Nunca hemos pensado eso.

Have you ever eaten sushi?	*¿Ha comido sushi alguna vez?*
Yes, I have.	*Sí.*
No, never.	*No, nunca.*
No, I haven't.	*No.*
No, I have never eaten sushi.	*No, nunca he comido sushi.*

el presente perfecto, pg. 40

Apuntes

Chismes

Las charlas informales pueden tener una influencia positiva en el lugar de trabajo pero los chismes suelen tener una influencia negativa. Las charlas informarles le permiten relacionarse con compañeros de trabajo y enterarse de las novedades de la compañía. Sin embargo, cuando se cuentan chismes, ¡se hacen comentarios a espaldas de la gente!

Nunca

Never significa nunca, jamás. Una oración con la palabra **never** se forma de acuerdo con el siguiente modelo:
have + never + el verbo en pasado.

I have never eaten sushi.
Nunca he comido sushi.

They have never seen that TV show.
Ellos no han visto nunca ese programa de televisión.

Usted puede contestar **never** a una pregunta que incluye la palabra **ever**.

Have you ever eaten sushi?	*¿Has comido sushi alguna vez?*
Yes, I have.	*Sí.*
No, never.	*No, nunca.*
No, I haven't.	*No.*
No, I have never eaten sushi.	*No, nunca he comido sushi.*

Has she ever studied Japanese?
¿Ha estudiado japonés alguna vez?

Yes, she has.	*Sí.*
No, never.	*No, nunca*
No, she hasn't.	*No.*

No, she has never studied Japanese.
No, ella nunca ha estudiado japonés.

Vaya con un amigo/a a un restaurante de comida étnica y converse con el/la mesero/a en inglés acerca de comidas que usted nunca ha comido. Ejemplo: **I have never eaten egg rolls.** (Nunca he comido **egg rolls**.) Pregúntele a su amigo/a: **Have you ever eaten fried noodles**? (Has comido alguna vez **fried noodles?)**

"Might" y "Must"

Might indica posibilidad en el presente o el futuro. Se usa en oraciones positivas y negativas.

I might leave now.
Puede que me vaya ahora.

I might not stay.
Puede que no me quede.

I might go to a movie on Saturday.
Puede que vaya a ver una película el sábado.

I might not go to school tomorrow.
Puede que no vaya a la escuela mañana.

verbos auxiliares, pg. 54

Must se usa para indicar posibilidad u obligación.

She's not here today. She must be sick.
Ella no está aquí hoy. Debe de estar enferma.

He must have seen this movie.
Él debe de haber visto esta película.

We must finish this job today.
Debemos terminar este trabajo hoy.

Might y **must** no se suelen usar en preguntas.

Verbos auxiliares

Might y **must** son verbos auxiliares. **Can**, **could**, **may**, **should**, **will** y **would** también son verbos auxiliares. En una oración, los verbos auxiliares se colocan siempre antes del verbo principal.

I could meet you at 4:00.
Yo podría reunirme con usted a las cuatro.

She will watch the video tonight.
Ella verá el video esta noche.

Algunos verbos auxiliares, como por ejemplo, **can**, **could**, **should**, **will** y **would**, pueden usarse con la palabra **not.**

I can't meet you at 4:00.
Yo no puedo reunirme con usted a las cuatro.

She won't watch the video tonight.
Ella no verá el video esta noche.

They shouldn't eat so much candy.
Ellos no deberían comer tantas golosinas.

Todos estos verbos auxiliares, con excepción de **might** y **must**, pueden usarse para hacer preguntas.

Can you meet us tomorrow morning?
¿Puede reunirse con nosotros mañana por la mañana?

Will you be early or late?
¿Llegará usted temprano o tarde?

Should we go home or stay?
¿Deberíamos irnos a casa o quedarnos?

Verbos auxiliares en respuestas cortas

Los verbos auxiliares se usan con frecuencia en las respuestas cortas.

Can you go with us on Saturday?
Yes, I can.
No, I can't.
I can't.

¿Puedes ir con nosotros el sábado?
Sí.
No.
No puedo.

En ciertos casos, las respuestas incluyen un verbo auxiliar diferente al de las preguntas.

Should I fill out the application? You must.	*¿Debería llenar la solicitud?* *Tiene que hacerlo.*
Should we stay home tonight? We could.	*¿Deberíamos quedarnos en casa esta noche?* *Podríamos hacerlo.*

Si el verbo de la pregunta es **to be,** use la forma correcta de **to be** en la respuesta.

Will he be at the interview? He might be.	*¿Estará él en la entrevista?* *Puede que sí.*
Can you be home by 11:00? I should be.	*¿Puedes estar en casa antes de las once?* *Debería poder hacerlo.*

Palabras de significado contrario

dangerous *peligroso(a)*	safe *seguro(a)*
qualified *competente*	unqualified *incompetente*

promotion *ascenso*	demotion *descenso (de categoría)*
responsible *responsable*	irresponsible *irresponsable*
enjoyable *agradable*	unenjoyable *desagradable*
(to) get married *casarse*	(to) get divorced *divorciarse*

the buck stops here

Traducida literalmente, significa "aquí se detiene el dólar". Es una expresión que utiliza la persona encargada, de un proyecto, departamento, para expresar que asume la responsabilidad de dicho proyecto o departamento.

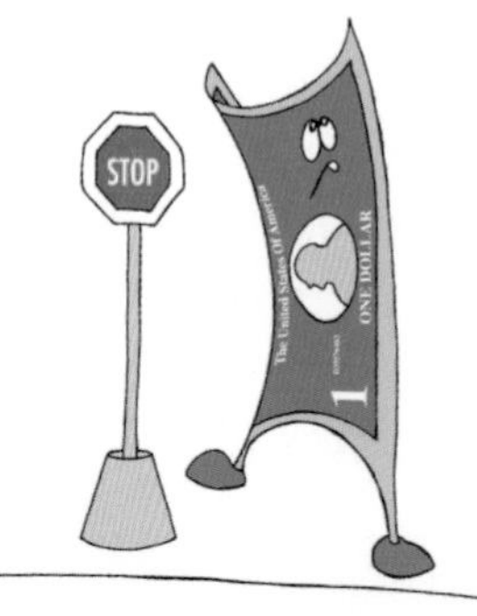

If there is a problem, talk to me.
I am the project director and the buck stops here.

Si hay algún problema, habla conmigo.
Soy el director del proyecto y asumo
toda la responsabilidad.

Diálogo 2

Éste es el texto completo del diálogo incluido en el video. Usted hará el papel del espectador **(viewer)**. Si le hacen una pregunta personal, conteste usando información personal. Tenga en cuenta que las respuestas del espectador que le proporcionamos no son las únicas respuestas correctas.

Encuentro en la cafetería

Kathy — Hi, Tom.
Hola, Tom.

Tom — Hi, Kathy. So, how's the coffee today?
Hola, Kathy. Así que, ¿cómo está el café hoy?

Kathy — Oh, it's not bad, but I like the coffee at the coffee shop better.
Oh, no está mal, pero me gusta más el café de la cafetería.

Tom — Me, too. So, how's your work with Mr. Gordon going?
A mí también. Así que, ¿cómo va tu trabajo con el Sr. Gordon?

Kathy — Great! It's very interesting, and he is very nice.
¡Muy bien! Es muy interesante y él es muy agradable.

Tom — I know. I worked on his team last year.
Lo sé. Trabajé en su equipo el año pasado.

Kathy — Oh, I wanted to tell you that I really like your sunglasses. What do you think?
Oh, quería decirte que tus lentes de sol me gustan de verdad. ¿Y a usted qué le parece?

2 Diálogo

Viewer (usted)	They look very nice. *Son muy lindos.*
Tom	Thanks! I like them. *¡Gracias! Me gustan.*
Kathy	I think they look terrific. You look like a movie star! *Creo que son geniales. ¡Pareces una estrella de cine!*
Tom	Thanks. Oh, well... thank you. *Gracias. Oh, bueno... gracias.*
Kathy	I need to get new sunglasses soon. *Tengo que comprarme pronto lentes de sol nuevos.*
Tom	You should go to the place on Green Street! They've been selling the most stylish sunglasses for years. *¡Deberías ir al lugar de la calle Green!* *Llevan años vendiendo los lentes de sol más elegantes.*

Kathy	I will. Thanks. Well, I should get back to work. *Así lo haré. Gracias.* *Bueno, debo volver al trabajo.*
Tom	Me, too. See you later? *Yo también. ¿Nos vemos luego?*
Kathy	Sure. Bye. *Claro. Adiós.*
Tom	Bye. *Adiós.*

(to) jump from the frying pan into the fire

Esta expresión se usa cuando alguien va de una mala situación a otra peor. Equivale al dicho "salir del fuego para caer en las brasas".

Linda broke up with Tom because he was lazy.
Now, she's going out with a man who is an alcoholic.
That's what I call jumping from the frying pan into the fire.

Linda rompió con Tom porque era flojo. Ahora está saliendo con un alcohólico. Eso sí que es salir del fuego para caer en las brasas.

Pronunciación

Lección

Vocabulario

Le recomendamos que lea las palabras del vocabulario antes de ver el video correspondiente a esta lección. Éstas son las palabras más importantes de esta lección.

busboy — *ayudante de mesero(a)*
delicious — *delicioso(a)*
(to) disagree — *no estar de acuerdo, estar en desacuerdo con*

(to) agree — *estar de acuerdo*
emphasis — *énfasis*
(to) reply — *contestar*
(to) dance — *bailar*
waltz — *vals*
(to) memorize — *aprender de memoria, memorizar*

sunrise — *amanecer*
opera — *ópera*
goalie — *portero (de fútbol), guardameta, arquero*

kilometer — *kilómetro*
(to) get older — *hacerse mayor, crecer, envejecer*
(to) indicate — *indicar, señalar*
sports — *deportes*

Apuntes

El acento en las respuestas cortas

Recuerde que los verbos auxiliares **have**, **can**, **should**, **will**, **may**, **might**, y **could** sólo se pronuncian con mayor énfasis si tienen un significado especial en la oración.

You shouldn't do that.	*No deberías hacer eso.*
Yes, I should do that.	*Sí, debería hacerlo.*

Y también si se usan en las respuestas cortas.

Can you dance?	*¿Sabe usted bailar?*
Yes, I can.	*Sí.*
Have you ever eaten paella?	*¿Ha comido paella alguna vez ?*
Yes, I have.	Sí.

Conversaciones

En una charla informal, es aconsejable dar información adicional y no atenerse únicamente a lo estrictamente necesario.

Have you ever been to New York?
Yes, I have. My family went last summer.
¿Ha estado en Nueva York alguna vez?
Sí. My familia fue a Nueva York el verano pasado.

Did you have a good time?	*¿Lo pasó usted bien?*
Yes, we enjoyed seeing the Statue of Liberty.	*Sí, disfrutamos de la visita a la Estatua de la Libertad.*

Notas

Lección

3 Notas

Vocabulario 3

Le recomendamos que lea las palabras del vocabulario antes de ver el video correspondiente a esta lección. Éstas son las palabras más importantes de esta lección.

bill	*factura, cuenta*
invitation	*invitación*
curious	*curioso(a)*
me	*me*
you	*te, le, les*
him	*le*
her	*le, la*
it	*le*
us	*nos*
them	*les*
whom	*a quién, al que, a la que*
(to) worry about	*estar preocupado(a) por*
(to) get started	*empezar, comenzar*
(to) replace	*sustituir, reemplazar*
(to) pass	*pasar*
(to) smell	*oler*
(to) taste	*probar*

Más vocabulario

mine	*mío(a), míos(as)*
yours	*tuyo(a), tuyos(as)*
	suyo(a), suyos(as) (de usted)
his	*suyo(s) (de él)*
hers	*suya(s) (de ella)*
its	*suyo(s) (de ello)*
ours	*nuestro(a), nuestros(as)*
theirs	*suyo(s) (de ellos)*
	suya(s) (de ellas)
myself	*yo mismo(a)*
yourself	*tú mismo(a), usted mismo(a)*
himself	*él mismo*
herself	*ella misma*
itself	*se, sí*
ourselves	*nosotros mismos*
themselves	*ellos(ellas) mismos(as)*
It won't take long.	*No tomará mucho tiempo.*
	No tardará mucho.
ma'am	*señora*
sir	*señor*
video	*video*

Elementos esenciales

Esta sección destaca los elementos básicos de esta lección. Lea detenidamente lo que incluimos en ella.

I	my	me	mine	myself
you	your	you	yours	yourself
he	his	him	his	himself
she	her	her	hers	herself
it	its	it	its	itself
we	our	us	ours	ourselves
you	your	you	yours	yourselves
they	their	them	theirs	themselves

Cesar is in class today.	He is in class.
César está en clase hoy.	*Él está en clase.*
I gave my book to Cesar.	I gave my book to him.
Yo le di mi libro a César.	*Yo le di mi libro a él.*

Aprenda y practique

Le recomendamos que aprenda las expresiones y oraciones que se incluyen en esta lección. Practique usando lo aprendido cada día.

Martin called	me.	*Martin me llamó.*
	you.	*Martin te llamó, le llamó.*
	him.	*Martin le llamó.*
	her.	*Martin la llamó.*
	it.	*Martin lo llamó.*
	you.	*Martin les llamó.*
	us.	*Martin nos llamó.*
	them.	*Martin les llamó.*

pronombres, pgs. 17, 18

3 Vocabulario

Did Margaret give the book *¿Le dio Margaret el libro*	to Andy? *a Andy?*	
	to Paul? *a Paul?*	to him? *a él?*
	to Mary? *a Mary?*	to her? *a ella?*
Did Margaret give the book to me and Kim? *¿Nos dio Margaret el libro a mí y a Kim?*		to us? *a nosotros?*
Did Margaret give the book to you and Ann? *¿Les dio Margaret el libro a usted y a Ann?*		to you? *a ustedes?*
	to Paul and Mary? *a Paul y Mary?*	to them? *a ellos?*
This is my book. *Éste es mi libro.*		mine. *mío.*
The blue notebook is your notebook. *El cuaderno azul es tu cuaderno.*		yours. *tuyo.*
That cap is Paul's. *Esta gorra es de Paul.*		his. *suya.*

Cuando esté comiendo, practique usando los adjetivos posesivos (**my, your, his, our,** etc.) y los pronombres posesivos (**mine, yours, ours,** etc.) Ejemplos: **This is my fork; it's mine**. (Este es mi tenedor; es mío). **That's your plate; it's yours.** (Ese es tu plato; es tuyo).

Is this coat Louise's? *¿Es ésta la chaqueta de Louise?*	hers? *¿la suya?*
The old one is our car. *El viejo auto es nuestro auto.*	ours. *el nuestro.*
Have you seen their dog? *¿Has visto a su perro?*	theirs? *¿el suyo?*
I wrote this report *Escribí este informe*	myself. *yo mismo.*
You wrote this report *Escribiste este informe*	yourself. *tú mismo.*
He wrote this report *Escribió este informe*	himself. *él mismo.*
She wrote this report *Escribió este informe*	herself. *ella misma.*
We wrote this report *Escribimos este informe*	ourselves. *nosotros mismos.*
You wrote this report *Escribieron este informe*	yourselves. *ustedes mismos.*
They wrote this report *Escribieron este informe*	themselves. *ellos mismos.*

pronombres reflexivos, pg. 19

Apuntes

Pronombres especiales

Un pronombre reemplaza a un sustantivo en una oración. En algunas oraciones, el pronombre está delante del verbo.

Anita was late today.	*Anita llegó tarde hoy.*
She was late.	*Ella llegó tarde.*

She reemplaza a Anita.

Veamos otra clase de pronombres.

I called my sister.	*Yo llamé a mi hermana.*
I called her.	*Yo la llamé.*

En la segunda oración, **her** reemplaza a **my sister**. En este caso, el pronombre se coloca después del verbo. Estos pronombres contestan a las preguntas: **to whom?** (¿a quién?) o **for whom?** (¿para quién?).

You gave the glasses to whom?
¿A quién le diste los lentes?

I gave the glasses to my mother.
Le di los lentes a mi madre.

You gave the glasses to your mother?
¿Le diste los lentes a tu madre?

pronombres relativos, pg. 20

Yes, I gave the glasses to her.
Sí, le di los lentes a ella.

Hay otro grupo de pronombres.

This is my book. *Éste es mi libro.*	This is mine. *Éste es mío.*
I left my book on the bus. *Dejé mi libro en el autobús.*	I left it on the bus. *Lo dejé en el autobús.*

En este tipo de oraciones, el pronombre especial **it** reemplaza a **my book**. Sólo podemos usar estos pronombres especiales si sabemos cuál es el sustantivo que están reemplazando. Decir **I left it on the bus** no tiene sentido a menos que sea obvio que **it** se refiera a **my book**.

Ambos grupos de pronombres especiales son muy útiles porque evitan repetir los sustantivos una y otra vez. Los párrafos siguientes le muestran cómo usar estos pronombres.

> I gave a new coat to my mother. The new coat wasn't expensive but the new coat was very beautiful. My mother really liked the new coat. My mother thanked me. My mother said, "I can't believe that the new coat is my new coat."
>
> *Le di una chaqueta nueva a mi madre. La chaqueta nueva no era cara pero la chaqueta nueva era muy linda. A mi madre le gustó de verdad la chaqueta nueva. Mi madre me lo agradeció. Mi madre dijo: "No puedo creer que la cha queta nueva sea mi chaqueta nueva."*

3 Clase

I gave a new coat to my mother. It wasn't expensive but it was very beautiful. My mother really liked it. She thanked me. She said, "I can't believe it's mine."

Le di una chaqueta nueva a mi madre. No era cara pero era muy linda. A mi madre le gustó de verdad. Ella me lo agradeció. Ella dijo: "No puedo creer que sea mía."

Otro grupo de pronombres

En algunas oraciones, se usan dos pronombres para referirse a la misma persona o cosa.

I cooked dinner by myself. No one helped me cook dinner.
Preparé la cena yo mismo. Nadie me ayudó a preparar la cena.

They drove all the way to Denver by themselves. No one helped them drive to Denver.
Manejaron hasta Denver ellos mismos. Nadie les ayudó a manejar hasta Denver.

Los cinco sentidos

Los cinco sentidos son: **smell** (olfato), **taste** (gusto), **touch** (tacto), **sight** (vista) y **hearing** (oído).

smell *olfato*	(to) smell *oler*	I can't smell it. *No puedo olerlo.*
taste *gusto*	(to) taste *saber*	I can't taste it. *No me sabe a nada.*
touch *tacto*	(to) feel *sentir*	I can't feel it. *No puedo sentirlo.*
sight *vista*	(to) see *ver*	I can't see it. *No puedo verlo.*
hearing *oído*	(to) hear *oír*	I can't hear it. *No puedo oírlo.*

También se usan otros verbos para describir algo relacionado con los sentidos.

smell *olfato*	(to) smell *oler*	It smells good. *Huele bien.*
taste *gusto*	(to) taste *saber*	It tastes sweet. *Sabe dulce.*
touch *tacto*	(to) feel *sentir*	It feels smooth. *Es suave al tacto.*
sight *vista*	(to) look *parecer, verse*	It looks old. *Parece viejo.*
hearing *oído*	(to) sound *sonar*	It sounds awful. *Suena horrible.*

3 Diálogo

Éste es el texto completo del diálogo incluido en el video. Usted hará el papel del espectador **(viewer)**. Si le hacen una pregunta personal, conteste usando información personal. Tenga en cuenta que las respuestas del espectador que le proporcionamos no son las únicas respuestas correctas.

Primer encuentro entre Tom y Dan

Dan

Hello, Kathy. Can I come in?
Hola, Kathy. ¿Puedo entrar?

Kathy

Oh, sure, Dad. This is Tom.
Oh, claro, papá. Éste es Tom.

Dan

It's nice to finally meet you, Tom.
Kathy has told me a lot about you.
Me alegro de conocerte al fin, Tom.
Kathy me ha hablado mucho de ti.

Kathy

Oh, Dad.
Oh, papá.

Tom

It's nice to meet you, too, Mr. Martin.
Yo también me alegro de conocerle, Sr. Martin.

Dan

Kathy tells me that you are from the East.
Kathy me dijo que eres del este.

Tom

Yes, sir, I am. But I have lived here for four years.
Sí, señor. Pero hace cuatro años que vivo aquí.

Dan	Does your family live in this area, also? *¿Tu familia también vive en esta zona?*
Tom	Well, my older brother does. But my younger brother lives in New York and my sister lives in Chicago. My parents live in Boston. *Bueno, mi hermano mayor, sí. Pero mi hermano menor vive en Nueva York y mi hermana vive en Chicago. Mis padres viven en Boston.*
Dan	Your parents must miss you. *Tus padres deben extrañarte.*
Tom	Yes, but we talk all the time. They usually call on Saturday. Last night, I called them. *Sí, pero hablamos todo el tiempo. Me suelen llamar los sábados. Yo les llamé anoche.*
Dan	That's good. Family relationships are important. *Muy bien. Las relaciones familiares son importantes.*
Viewer *(Usted)*	Yes, they are. *Sí.*
Kathy	Dad, did I tell you that Tom is studying Spanish three nights a week? He's too busy! *Papá, ¿te dije que Tom está estudiando español tres noches por semana? ¡Está tan ocupado!*

3 Diálogo

Dan	He must be very busy. *Debe de estar muy ocupado.*
Viewer *(Usted)*	Yes, he is. He's always busy. *Sí. Siempre está ocupado.*
Kathy	I asked him to work with me last week on a video project, and he couldn't. *La semana pasada, le pedí que trabajara conmigo en un proyecto de video y no pudo.*
Dan	Work is good for you, Tom. Let me take both of you to lunch. *El trabajo es bueno para ti, Tom.* *Déjenme llevarlos a ambos a almorzar.*
Kathy	Great! Let's go. *¡Fantástico! Vamos.*

Lección

4 Notas

Le recomendamos que lea las palabras del vocabulario antes de ver el video correspondiente a esta lección. Éstas son las palabras más importantes de esta lección.

chef	*chef*
belated	*tardío(a), con retraso*
audio	*audio*
audio tape	*cinta, audiocasete*
report	*informe*
program	*programa*
smart	*listo*
(to) date	*salir con alguien*
(to) relax	*relajarse*
(to) invite	*invitar*
(to) congratulate	*felicitar*
(to) interrupt	*interrumpir*

Más vocabulario

individually	*individualmente*
wedding bells	*campanas de boda*

(to) wear one's heart on one's sleeve

Se dice que una persona "lleva el corazón en la manga de la camisa" cuando expresa sus emociones con facilidad.

— My brother cries every time he sees a wedding.
— I know, he wears his heart on his sleeve.

— *Mi hermano siempre llora cuando ve una boda.*
— *Ya lo sé, es una persona muy emotiva.*

Apuntes

Practicar inglés todos los días

¿Cómo puede seguir practicando inglés? ¿Entender y comunicarse mejor?

Hay cosas que puede hacer usted solo.

Escuche la radio o vea la televisión en inglés.
Escuche audiocasetes en su automóvil o en el autobús.
Lea el periódico en inglés.

Hay cosas que puede hacer con otras personas.

Hable con alguien en inglés todos los días.
Hable con un familiar o un amigo en inglés.
Consígase una novia o un novio que sólo hable inglés.

Piense en las demás cosas que puede hacer para practicar inglés.

Practique lo que ya ha aprendido visitando la página de Internet de Inglés sin Barreras **www.isbonline.com**. Si no tiene computadora en su casa, consulte un centro comunitario dónde podría tener acceso a una. Es un excelente recurso para que usted busque maneras adicionales de continuar aprendiendo y practicando inglés para mejorar sus habilidades en este idioma.

Éste es el texto completo del diálogo incluido en el video. Usted hará el papel del espectador **(viewer)**. Si le hacen una pregunta personal, conteste usando informa-ción personal. Tenga en cuenta que las respuestas del espectador que le proporcionamos no son las únicas respuestas correctas.

Nos vamos de viaje

Tom	Hi, Amy! How are you? *¡Hola, Amy! ¿Cómo estás?*
Amy	Tom? Tom Cullen? I'm great! How are you? *¿Tom? ¿Tom Cullen? ¡Estoy muy bien! ¿Cómo estás?*
Tom	I'm fine. Amy, this is my girlfriend, Kathy Martin. Kathy, this is Amy Gordon. *Estoy muy bien. Amy, ésta es mi novia, Kathy Martin.* *Kathy, ésta es Amy Gordon.*
Amy	I know Kathy. We're neighbors. It's a small world, isn't it? *Conozco a Kathy. Somos vecinas.* *¡Qué pequeño es el mundo! ¿no?*
Kathy	Hi, Amy. I didn't know you knew Tom. *Hola, Amy. No sabía que conocías a Tom.*

Amy	I haven't seen him for a few months. Bill tells me that you are planning to travel to Latin America this summer. *Hace varios meses que no le veo.* *Bill me dijo que están planeando viajar a* *América Latina este verano.*
Tom	Yes, that's true. I want to learn more Spanish, and practice it a little before the new school year. *Sí, es verdad. Quiero aprender más español* *y practicarlo un poco antes del nuevo año escolar.*
Kathy	A little! Tom is a serious student. He studies all the time. *¡Un poco! Tom es un alumno serio.* *Siempre está estudiando.*
Tom	Well, I have been serious lately. I really want to learn to speak Spanish well. *Bueno, me lo he tomado en serio últimamente.* *Quiero aprender a hablar bien español.*
Amy	That's great. How do you find time to practice? *Eso está muy bien. ¿Cómo encuentras tiempo para practicar?*
Tom	Well, I watch TV in Spanish every night. Sometimes, I try to read a Spanish newspaper. I'm even trying to teach Kathy Spanish. *Bueno, veo la televisión en español todas las noches.* *A veces trato de leer un periódico en español.* *Hasta trato de enseñarle español a Kathy.*

Amy	Good luck with your Spanish, Tom. Kathy, Tom, I wish both of you well. *Te deseo suerte con el español, Tom.* *Bueno, Tom, Kathy, les deseo lo mejor.*
Kathy and Tom	Thanks! *¡Gracias!*
Amy	Tom and Kathy are such nice people. Don't you think so? *Tom y Kathy son personas tan agradables.* *¿No cree usted?*
Viewer *(Usted)*	Yes, ______________________. *Sí,* ______________________.
Amy	I can't believe Tom and Kathy are dating! Can you? *¡No puedo creer que Tom y Kathy estén saliendo!* *¿Y usted?*
Viewer *(Usted)*	__________________________.

Aprendamos viajando

Lección

V Aprendamos viajando

In this travelogue we'll take a trip to San Francisco and see some of the Northern California coastline.

Let's start by heading north on Highway 1—one of the most beautiful drives in the US. The view of the waves crashing and the smell of the ocean are wonderful.

This is the San Luis Obispo de Tolosa Mission. It was built in 1772 by Father Junipero Serra. The Mission is at the heart of the city of San Luis Obispo and is still a Catholic Church. San Luis Creek runs through the Mission.

A little farther north on Highway 1 is Morro Bay, a small town of 10,000 people. There are many fishermen in Morro Bay. Morro Rock is very famous.

The last stop on the way to San Francisco is the town of Monterey. Monterey is famous for its Aquarium, Marina, and Cannery Row. Monterey has its own Fisherman's Wharf.

As the sun sets, let's finish the drive to San Francisco.

Northern California is the home of San Francisco—a rather small city of fewer than one million people.

San Francisco is surrounded by water. The Pacific Ocean forms the western edge and San Francisco Bay borders the city to the east.

It is a foggy, romantic city. Do you know what famous singer left his heart in San Francisco?

Vamos a ir en automóvil a San Francisco y veremos parte de la costa del norte de California.

Vamos en dirección norte por la ruta 1, uno de los paseos en automóvil más hermosos de los Estados Unidos. Es maravilloso ver cómo se rompen las olas y sentir el aroma del océano.

Ésta es la misión de San Luis Obispo de Tolosa, construida por el padre Junípero Serra en 1772. La misión está en el centro de la ciudad de San Luis Obispo y sigue siendo una iglesia católica. El arroyo San Luis pasa por la misión.

Morro Bay, un pequeño pueblo de diez mil habitantes, está un poco más al norte en la ruta 1. Hay muchos pescadores en Morro Bay. Morro Rock (el morro) es un lugar muy famoso.

La última parada de camino a San Francisco es el pueblo de Monterey. Monterey es famoso por su acuario, su marina y Cannery Row. Monterey tiene su propio muelle de pescadores.

Terminemos el viaje a San Francisco al atardecer.

San Francisco está en el norte de California; es una ciudad relativamente pequeña de menos de un millón de habitantes.

San Francisco está rodeada de agua. El océano Pacífico forma el extremo oeste y la bahía de San Francisco bordea la ciudad al este.

Es una ciudad brumosa y romántica. ¿Sabe usted quién fue el famoso cantante que dejó su corazón en San Francisco?

V

Aprendamos viajando

San Francisco is famous for its skyline, cable cars, earthquakes and the Golden Gate Bridge—one of the most spectacular sites in America. The bridge was built in the 1930s. It took four years and $35 million dollars.

The beautiful towers of the Golden Gate Bridge are 750 feet tall and it is nearly two miles long. Our friends walked across the bridge, but we drove.

From the bridge you can see the tall buildings of the Financial District and the steep hills with the cable cars. Do you know why the cable car system was built in San Francisco?

Before automobiles, people went every-where by horse carriage. It was very difficult for the horses to go up and down the hills safely. So, the same cable technology that was used in the famous gold mines was used to build a new transportation system that was better for horses and people!

When the cable cars were built, there were more than 500 cars and 100 miles of track. Today, fewer than 30 cable cars run on about 9 miles of track. Everyone loves the sound of the bells. Many tourist go places in San Francisco by cable car.

A favorite ride is from Union Square to Fisherman's Wharf. As one goes down Hyde Street, there is a wonderful view of the Bay. There's the Golden Gate Bridge again and there's Alcatraz.

San Francisco es una ciudad famosa por el perfil de sus rascacielos en el horizonte, por sus tranvías, terremotos y por el puente Golden Gate, uno de los lugares más espectaculares de América. El puente se construyó en los años treinta. La construcción duró cuatro años y costó treinta y cinco millones de dólares.

Las hermosas torres del puente Golden Gate tienen setecientos cincuenta pies de altura y el puente tiene casi dos millas de longitud. Nuestros amigos lo cruzaron caminando, pero nosotros lo hicimos en automóvil.

Desde el puente, se pueden ver los rascacielos del distrito financiero y las empinadas colinas en las que circulan los tranvías. ¿Sabe usted por qué se construyó la red de tranvías en San Francisco?

Cuando aún no existían los automóviles, la gente iba a todas partes en carruaje. Era muy difícil que los caballos subieran y bajaran las colinas sin peligro. Entonces, se usó la técnica empleada en las famosas minas de oro para crear una nueva red de transporte que resultó más práctica ¡para los caballos y las personas!

Cuando se instalaron los tranvías, había más de quinientos coches y cien millas de red vial. Hoy en día, hay menos de treinta coches circulando en unas nueve millas de vía. A todo el mundo le gusta el sonido de las campanas. Muchos turistas se desplazan en tranvía en San Francisco.

Uno de los recorridos favoritos es el que empieza en Union Square y va hasta el muelle de pescadores. Al bajar por la calle Hyde, se contempla una vista magnífica de la bahía; ahí está el Golden Gate otra vez y allí está Alcatraz.

Aprendamos viajando

Alcatraz, or "The Rock," is a small island that was America's most secure prison. We went to Alcatraz by boat. It took only 15 minutes. The guided tour of the prison was very interesting.

Here is Fisherman's Wharf. There are always lots of tourists here and there are many different things to do. People shop, eat and watch other people.

Now let's visit Chinatown. Here is a picture of the Dragon's Gate. The smell of Chinese food is everywhere. The shops sell unusual things. There are always people walking in Chinatown.

Haight-Ashbury is the center of hippie life. The "summer of love" is over but there are many memories of life in the 1960s.

This is Lombard Street. Can you guess its nickname? It is called "the Crookedest Street in the World".

The oldest building in California, Mission Dolores which was built in 1776, is in San Francisco. The Mission District is the center of Hispanic life in San Francisco.

Some of the city is old, but much of San Francisco is new. There are many tall modern buildings.

Let's end the visit to San Francisco in Golden Gate Park. There are 11 lakes in the park and several famous museums.

This is a good place to relax at the end of the day.

Alcatraz, o "la roca", es una pequeña isla que fue la prisión más segura de América. Fuimos a Alcatraz en bote. Tardamos sólo quince minutos. La visita de la prisión fue muy interesante.

Aquí está el muelle de pescadores. Aquí hay siempre muchos turistas y se pueden hacer muchas cosas. La gente compra, come y observa a los demás.

Ahora, vamos a visitar Chinatown. He aquí una fotografía del Portal del Dragón. El aroma de la comida china está en todas partes. Las tiendas venden cosas insólitas. Siempre hay gente caminando en Chinatown.

Haight-Ashbury; el centro del mundo "hippie". El "verano del amor" ya se ha terminado pero hay muchos recuerdos de los años sesenta.

Ésta es la calle Lombard. ¿Puede adivinar cuál es su apodo? La llaman la calle más torcida del mundo.

El edificio más antiguo de California, la misión Dolores, que fue construido en 1776, está en San Francisco. El distrito de la misión es el centro de la vida hispana de San Francisco.

San Francisco tiene edificios antiguos, pero gran parte de la ciudad es nueva. Hay muchos rascacielos modernos.

Finalicemos nuestra visita a San Francisco en el parque Golden Gate. Hay once lagos en el parque y varios museos de renombre.

Éste es un buen lugar para relajarse al final del día.

C

Aprendamos cantando

Lección

Notas

I Walk the Line

Bienvenido a **Aprendamos cantando**, la sección de Inglés sin Barreras donde se aprende el inglés de la vida diaria escuchando y cantando conocidas canciones.

I Walk the Line es un ejemplo de la música **country** (del campo, campestre), un género musical que se creó en los **Appalachian Mountains** y en el oeste estadounidense. Como el nombre indica, las canciones **country** relatan acontecimientos de la vida diaria del campo en los Estados Unidos.

Música y letra
John R. Cash

La música y letra de las canciones se encuentran en los videos. Localice en su video la sección titulada "Aprendamos Cantando".

Compuesta e interpretada por Johnny Cash, **I Walk the Line**, fue la primera canción country que logró entrar en la lista de los discos más vendidos del país.

I Walk the Line contiene varias expresiones idiomáticas de gran interés, empezando por su título. En su sentido literal, esta frase significa "yo camino sobre la línea", pero aquí significa: "yo me porto bien" o "yo me comporto".

Una palabra que ya le resultará familiar es el verbo **to keep**.

- **I keep a close watch** significa "yo vigilo de cerca".
- **I keep my eyes wide** open significa "yo mantengo los ojos bien abiertos".

C Aprendamos cantando

La expresión **is through** significa "se termina" o "se acabó". A **day is through**, significa "un día se termina".

Aunque el cantante dice **You got a way** (tú tienes una manera), la frase correcta es **You have got a way**.
En el inglés informal, la omisión del verbo auxiliar **to have** es frecuente.

Si bien estas expresiones son comunes en el inglés hablado, no son gramaticalmente correctas, Al escribir, es importante no cometer errores de este tipo ya que estos denotan un bajo nivel cultural.

Si busca la palabra **true** en el diccionario, comprobará que significa "verdad". Sin embargo, esta palabra tiene un segundo significado: fidelidad.

- **I find it easy to be true** significa "encuentro fácil serle fiel".
- **I'm true to my beliefs** indica "soy fiel a mis creencias".

Finalmente, recuerde las contracciones que ya hemos visto:

- **I'll (I will)**
- **I'm (I am)**
- **You're (You are)**

¡Disfrute con I Walk the Line!

I Walk the Line

Mm... I keep a close watch
On this heart of mine
I keep my eyes wide open
All the time
I keep the ends out
For the tie that binds
Because you're mine
I walk the line

Mm... I find it
Very, very easy to be true
I find myself alone
When each day is through
Yes, I'll admit
That I'm a fool for you
Because you're mine
I walk the line

Mm... As sure as
night is dark
And day is light
I keep you on my mind
Both day and night
And happiness I know
Proves that it's right
Because you're mine
I walk the line

Me porto bien

Mm... Vigilo muy de cerca
Este corazón mío
Mantengo los ojos bien abiertos
Todo el tiempo
Mantengo libres
Los lazos que unen
Porque eres mía
Me porto bien

Mm... Encuentro
Muy, muy fácil ser fiel
Me encuentro solo
Al final de cada día
Sí, admito
Que soy un tonto por ti
Porque eres mía
Me porto bien

Mm... Tan cierto como que
la noche es oscura
Y el día es claro
Te tengo en mi mente
Día y noche
Y la felicidad que conozco
Demuestra que es cierto
Porque eres mía
Me porto bien

Aprendamos cantando

Mm... You got a way	*Tienes una manera*
To keep one on your side	*De mantener a alguien a tu lado*
You give me cause for love	*Me das motivo para amar*
That I can't hide	*Que no puedo esconder*
For you I know	*Sé que por ti*
I would even try to turn	*Hasta trataría de darle vuelta*
the tide	*a la marea*
Because you're mine	*Porque eres mía*
I walk the line	*Me porto bien*

Mm... I keep a close watch	*Mm... Vigilo muy de cerca*
On this heart of mine	*Este corazón mío*
I keep my eyes wide open	*Mantengo los ojos bien abiertos*
All the time	*Todo el tiempo*
I keep the ends out	*Mantengo libres*
For the tie that binds	*Los lazos que atan*
Because you're mine	*Porque eres mía*
I walk the line.	*Me porto bien.*

(to) hit the nail on the head

"Darle al clavo en la cabeza" se emplea cuando alguien tiene razón, o ha hecho o dicho algo apropiado.

— We've both been working hard all year long and I think we should take a vacation.
— You hit the nail on the head. I'll make the reservations right away.

— *Hemos estado trabajando duro todo el año y creo que deberíamos tomarnos unas vacaciones.*
— *Tienes razón; voy a hacer las reservaciones ahora mismo.*

Lección

Notas

Aprendamos conversando

Actividad 1

Woman: correct incorrect
Man: You need to study more. Most of your answers are incorrect.
Woman: experienced inexperienced
Man: This job is not right for you. You are too inexperienced.
Woman: formal informal
Man: We can wear a T-shirt and jeans to work. I like to wear informal clothes.

Woman: possible impossible
Man: I'm very optimistic. I believe that nothing is impossible.
Woman: polite impolite
Man: The children didn't say thank you for the gifts. They were very impolite.
Woman: practical impractical
Man: She put a white carpet in the children's bedroom. That's so impractical!

Woman: happy unhappy
Man: I lost my job. That's why I'm so unhappy.
Woman: employed unemployed
Man: I need to find work. I've been unemployed for a long time.

Woman: friendly unfriendly
Man: I'm going to shop at a different store. The staff here is very unfriendly.

Actividad 1

Mujer: *correcto* *incorrecto*
Hombre: *Necesita estudiar más. La mayoría de sus respuestas son incorrectas.*
Mujer: *con experiencia* *sin experiencia*
Hombre: *Este trabajo no es para ti. No tienes la experencia suficiente.*
Mujer: *formal* *informal*
Hombre: *Podemos usar una camiseta y unos pantalones vaqueros en el trabajo. Me gusta usar ropa informal.*

Mujer: *posible* *imposible*
Hombre: *Soy muy optimista. Creo que nada es imposible.*
Mujer: *cortés* *descortés*
Hombre: *Los niños no dijeron gracias por los regalos. Fueron muy descorteses.*
Mujer: *práctico* *poco práctico*
Hombre: *Puso una alfombra blanca en el cuarto de los niños. ¡Eso es tan poco práctico!*

Mujer: *feliz* *infeliz*
Hombre: *Perdí mi trabajo. Por eso soy tan infeliz.*
Mujer: *empleado* *desempleado*
Hombre: *Necesito encontrar un trabajo. Estoy desempleado desde hace mucho tiempo.*
Mujer: *amable* *poco amable*
Hombre: *Voy a hacer las compras en otra tienda. El personal de aquí es muy poco amable.*

C Aprendamos conversando

Actividad 2

Woman: I enjoy playing soccer, and I enjoy watching it.
Man: I don't enjoy playing soccer, and I don't enjoy watching it.
Woman: I enjoy playing soccer, but I don't enjoy watching it.
Man: I don't enjoy playing soccer, but I enjoy watching it.

Man: I enjoy playing football, and I enjoy watching it.
Woman: I don't enjoy playing football, and I don't enjoy watching it.
Man: I enjoy playing football, but I don't enjoy watching it.
Woman: I don't enjoy playing football, but I enjoy watching it.

Woman: I enjoy playing baseball, and I enjoy watching it.
Man: I don't enjoy playing baseball, and I don't enjoy watching it.
Woman: I enjoy playing baseball, but I don't enjoy watching it.
Man: I don't enjoy playing baseball, but I enjoy watching it.

Man: I enjoy playing basketball, and I enjoy watching it.
Woman: I don't enjoy playing basketball, and I don't enjoy watching it.
Man: I enjoy playing basketball, but I don't enjoy watching it.
Woman: I don't enjoy playing basketball, but I enjoy watching it.

Actividad 2

Mujer: Me gusta jugar fútbol y me gusta verlo.
Hombre: No me gusta jugar fútbol y no me gusta verlo.
Mujer: Me gusta jugar fútbol pero no me gusta verlo.
Hombre: No me gusta jugar fútbol pero me gusta verlo.

Hombre: Me gusta jugar fútbol americano y me gusta verlo.
Mujer: No me gusta jugar fútbol americano y no me gusta verlo.
Hombre: Me gusta jugar fútbol americano pero no me gusta verlo.
Mujer: No me gusta jugar fútbol americano pero me gusta verlo.

Mujer: Me gusta jugar béisbol y me gusta verlo.
Hombre: No me gusta jugar béisbol y no me gusta verlo.
Mujer: Me gusta jugar béisbol pero no me gusta verlo.
Hombre: No me gusta jugar béisbol pero me gusta verlo.

Hombre: Me gusta jugar baloncesto y me gusta verlo.
Mujer: No me gusta jugar baloncesto y no me gusta verlo.
Hombre: Me gusta jugar baloncesto pero no me gusta verlo.
Mujer: No me gusta jugar baloncesto pero me gusta verlo.

Aprendamos conversando

C

Woman: I enjoy playing golf, and I enjoy watching it.
Man: I don't enjoy playing golf, and I don't enjoy watching it.
Woman: I enjoy playing golf, but I don't enjoy watching it.
Man: I don't enjoy playing golf, but I enjoy watching it.

Mujer: *Me gusta jugar golf y me gusta verlo.*
Hombre: *No me gusta jugar golf y no me gusta verlo.*
Mujer: *Me gusta jugar golf pero no me gusta verlo.*
Hombre: *No me gusta jugar golf pero me gusta verlo.*

Man: I enjoy playing tennis, and I enjoy watching it.
Woman: I don't enjoy playing tennis, and I don't enjoy watching it.
Man: I enjoy playing tennis, but I don't enjoy watching it.
Woman: I don't enjoy playing tennis, but I enjoy watching it.

Hombre: *Me gusta jugar tenis y me gusta verlo.*
Mujer: *No me gusta jugar tenis y no me gusta verlo.*
Hombre: *Me gusta jugar tenis pero no me gusta verlo.*
Mujer: *No me gusta jugar tenis pero me gusta verlo.*

Woman: I enjoy playing volleyball, and I enjoy watching it.
Man: I don't enjoy playing volleyball, and I don't enjoy watching it.
Woman: I enjoy playing volleyball, but I don't enjoy watching it.
Man: I don't enjoy playing volleyball, but I enjoy watching it.

Mujer: *Me gusta jugar voléibol y me gusta verlo.*
Hombre: *No me gusta jugar voléibol y no me gusta verlo.*
Mujer: *Me gusta jugar voléibol pero no me gusta verlo.*
Hombre: *No me gusta jugar voléibol pero me gusta verlo.*

Man: I enjoy playing ping-pong, and I enjoy watching it.
Woman: I don't enjoy playing ping-pong, and I don't enjoy watching it.
Man: I enjoy playing ping-pong, but I don't enjoy watching it.
Woman: I don't enjoy playing ping-pong, but I enjoy watching it.

Hombre: *Me gusta jugar ping-pong y me gusta verlo.*
Mujer: *No me gusta jugar ping-pong y no me gusta verlo.*
Hombre: *Me gusta jugar ping-pong pero no me gusta verlo.*
Mujer: *No me gusta jugar ping-pong pero me gusta verlo.*

C Aprendamos conversando

Actividad 3

Woman: Maybe I'll go to the movies tonight.
Man: Excuse me?
Woman: I might go to the movies tonight.

Man: Maybe he won't go to work tomorrow.
Woman: What did you say?
Man: He might not go to work tomorrow.

Woman: Maybe we'll get some books from the library.
Man: What was that?
Woman: We might get some books from the library.

Man: Maybe I'll visit my family this weekend.
Woman: Pardon me?
Man: I might visit my family this weekend.

Woman: Maybe she won't be at the meeting.
Man: Come again?
Woman: She might not be at the meeting.

Man: Maybe I'll cook dinner tomorrow night.
Woman: Excuse me?
Man: I might cook dinner tomorrow night.

Woman: Maybe you'll get home early.
Man: What did you say?
Woman: You might get home early.

Actividad 3

Mujer: Tal vez vaya al cine esta noche.
Hombre: ¿Perdón?
Mujer: Puede que vaya al cine hoy por la noche.

Hombre: Tal vez mañana no vaya a trabajar.
Mujer: ¿Qué dijiste?
Hombre: Puede que mañana no vaya a trabajar.

Mujer: Tal vez saquemos unos libros de la biblioteca.
Hombre: ¿Qué?
Mujer: Puede que saquemos unos libros de la biblioteca.

Hombre: Tal vez visite a mi familia este fin de semana.
Mujer: ¿Perdón?
Hombre: Puede que visite a mi familia este fin de semana.

Mujer: Tal vez no esté en la reunión.
Hombre: ¿Perdón?
Mujer: Puede que no esté en la reunión.

Hombre: Tal vez mañana prepare la cena.
Mujer: ¿Perdón?
Hombre: Puede que mañana prepare la cena.

Mujer: Tal vez llegue temprano.
Hombre: ¿Qué dijo?
Mujer: Puede que llegue temprano.

Man: Maybe they'll want to meet us at the restaurant.
Woman: What was that?
Man: They might want to meet us at the restaurant.

Woman: Maybe I won't get married.
Man: Pardon me?
Woman: I might not get married.

Man: Maybe we won't take a vacation this year.
Woman: Come again?
Man: We might not take a vacation this year.

Actividad 4
Man: She got a job as a bilingual assistant.
Woman: She must speak Spanish and English very well.

Man: His coat isn't in the closet.
Woman: He must not be in the building.

Man: I play soccer every week.
Woman: You must enjoy playing.

Man: I sent you a letter, but it came back to me from the post office.
Woman: You must not have the correct address.

Man: She explains things so clearly.
Woman: She must be a teacher.

Man: I have no family in this country.
Woman: You must miss them a lot.

Hombre: Tal vez quieran vernos en el restaurante.
Mujer: ¿Qué?
Hombre: Puede que quieran vernos en el restaurante.

Mujer: Tal vez no me case.
Hombre: ¿Perdón?
Mujer: Puede que no me case.

Hombre: Tal vez no nos vayamos de vacaciones este año.
Mujer: ¿Cómo dice?
Hombre: Puede que no nos vayamos de vacaciones este año.

Actividad 4
Hombre: Consiguió un trabajo de asistente bilingüe.
Mujer: Debe hablar muy bien español e inglés.

Hombre: Su abrigo no está en el armario.
Mujer: No debe estar en el edificio.

Hombre: Juego fútbol cada semana.
Mujer: Le debe gustar jugar.

Hombre: Le mandé una carta pero la oficina de correos me la devolvió.
Mujer: No debe tener la dirección correcta.

Hombre: Explica las cosas tan claramente.
Mujer: Debe ser maestra.

Hombre: No tengo familia en este país.
Mujer: Debe extrañarlos mucho.

C Aprendamos conversando

Man: We've been driving for two hours. They said they lived just twenty minutes away.
Woman: We must be on the wrong road.

Man: She doesn't want to see me anymore.
Woman: She must not be the right girl for you.

Man: I'm angry, I'm sad, and I don't want to see anyone!
Woman: You must be tired.

Man: These students all look unfamiliar to me.
Woman: This must not be your classroom.

Actividad 5 (ver página 14)
Diálogo 1
Amy: I've played tennis there before.

. . . .

I like Luigi's restaurant.
I've eaten there.

I watch a TV show on Channel Seven every Friday at nine.
I've seen that show.

I wrote a letter to Aunt Marta.
I've written to her.

I met the store manager.
I've spoken to him.

I want to visit the new art museum.
I've gone there twice.

. . . .

Where do Robert and Kathy play soccer?
They play soccer at the park near the school.

Hombre: *Llevamos dos horas manejando. Dijeron que vivían a sólo veinte minutos.*
Mujer: *Éste debe ser el camino equivocado.*

Hombre: *Ya no me quiere ver.*
Mujer: *No debe ser la chica adecuada para ti.*

Hombre: *¡Estoy enojado, estoy triste y no quiero ver a nadie!*
Mujer: *Debes estar cansado.*

Hombre: *Todos estos estudiantes me son desconocidos.*
Mujer: *Éste no debe ser su salón de clases.*

Actividad 5
Diálogo 1
Amy: *He jugado al tenis ahí antes.*

. . . .

Me gusta el restaurante Luigi's.
He comido allá.

Veo un programa de televisión en el canal siete cada viernes a las nueve.
He visto ese programa.

Escribí una carta a la tía Marta.
Le he escrito.

Conocí al gerente de la tienda.
He hablado con él.

Quiero visitar el nuevo museo de arte.
He ido allá dos veces.

. . . .

¿Dónde juegan al fútbol Robert y Kathy?
Juegan al fútbol en el parque cerca de la escuela.

Diálogo 2 (ver página 27)
Kathy: Oh, I wanted to tell you that I really like your sunglasses.

. . . .

I wanted to tell you that I got a new job.
I forgot to tell you that I got a new job.
I forgot to mention that I got a new job.
Did I tell you that I got a new job?
Did I mention that I got a new job?
By the way, I got a new job.

. . . .

Why does Tom look like a movie star?
Because he has new sunglasses.

Diálogo 2
Kathy: Oh, quería decirte que tus lentes de sol me gustan de verdad.

. . . .

Quería decirte que tengo un trabajo nuevo.
Olvidé decirte que tengo un trabajo nuevo.
Olvidé mencionar que tengo un trabajo nuevo.
¿Te dije que tengo un trabajo nuevo?
¿Mencioné que tengo un trabajo nuevo?
Por cierto, ¡tengo un trabajo nuevo!

. . . .

¿Por qué Tom se parece a una estrella de cine?
Porque tiene lentes de sol nuevas.

Diálogo 3 (ver página 46)
Dan: Let me take both of you to lunch.

. . . .

Let me wash the car.
Let me help with your homework.
Let me pay for dinner.
Let me take your picture.
Let me teach you how to drive.

. . . .

Where do Tom's younger brother, sister, and parents live?
His younger brother lives in New York; his sister lives in Chicago; and his parents live in Boston.

Diálogo 3
Dan: Déjenme llevarlos a ambos a almorzar.

. . . .

Déjame lavar el auto.
Déjame ayudarte con tu tarea.
Déjame pagar la cena.
Déjame tomarte una foto.
Déjame enseñarte a manejar.

. . . .

¿Dónde viven el hermano mayor, la hermana y los padres de Tom?
Su hermano menor vive en Nueva York; su hermana vive en Chicago y sus padres viven en Boston.

Aprendamos conversando

Diálogo 4 (ver página 53)
Tom: Well, I have been serious lately.

. . . .

I'm working till ten PM every night.
I've been tired lately.

I have a lot of exams in school this month.
I've been very nervous lately.

I have a new girlfriend.
I've been really happy lately.

I can't find a job.
I've been so unhappy lately.

My family is going to visit me next week.
I've been excited lately.

. . . .

How does Tom practice Spanish?
He watches TV in Spanish, reads a Spanish newspaper, and tries to teach Kathy Spanish.

Actividad 6 (ver páginas 69-79)

Actividad 7
Man: Whose office is this?
Woman: It's my office. It's mine.
Man: Whose office is this?
Woman: It's your office. It's yours.
Man: Whose office is this?
Woman: It's his office. It's his.
Man: Whose office is this?
Woman: It's her office. It's hers.
Man: Whose office is this?
Woman: It's our office. It's ours.
Man: Whose office is this?
Woman: It's their office. It's theirs.

Diálogo 4
Tom: Bueno, me lo he tomado en serio últimamente.

. . . .

Trabajo hasta las 10 de la noche todas las noches.
He estado cansado últimamente.
Tengo muchos exámenes en la escuela este mes.
He estado muy nervioso últimamente.
Tengo una nueva novia.
Soy muy feliz últimamente.

No puedo encontrar trabajo.
Soy tan infeliz últimamente.

Mi familia va a hacerme una visita la semana que viene.
Estoy emocionado últimamente.

. . . .

¿Cómo practica Tom el español?
Ve la televisión en español, lee un periódico en español e intenta enseñarle español a Kathy.

Actividad 6

Actividad 7
Hombre: ¿De quién es esta oficina?
Mujer: Es mi oficina. Es mía.
Hombre: ¿De quién es esta oficina?
Mujer: Es tu oficina. Es tuya.
Hombre: ¿De quién es esta oficina?
Mujer: Es su oficina. Es suya.
Hombre: ¿De quién es esta oficina?
Mujer: Es su oficina. Es suya.
Hombre: ¿De quién es esta oficina?
Mujer: Es nuestra oficina. Es nuestra.
Hombre: ¿De quién es esta oficina?
Mujer: Es su oficina. Es suya.

Aprendamos conversando

C

Man: Whose jacket is this?
Woman: It's my jacket. It's mine.
Man: Whose desk is this?
Woman: It's your desk. It's yours.
Man: Whose bag is this?
Woman: It's his bag. It's his.
Man: Whose book is this?
Woman: It's her book. It's hers.
Man: Whose car is this?
Woman: It's our car. It's ours.
Man: Whose computer is this?
Woman: It's their computer. It's theirs.

Hombre: ¿De quién es esta chaqueta?
Mujer: Es mi chaqueta. Es mía.
Hombre: ¿De quién es este escritorio?
Mujer: Es tu escritorio. Es tuyo.
Hombre: ¿De quién es esta bolsa?
Mujer: Es su bolsa. Es suya.
Hombre: ¿De quién es este libro?
Mujer: Es su libro. Es suyo.
Hombre: ¿De quién es este auto?
Mujer: Es nuestro auto. Es nuestro.
Hombre: ¿De quién es esta computadora?
Mujer: Es su computadora. Es suya.

Actividad 8

Are you a student now?
Were you a student last year?
Are you going to be a student next year?
Have you been a student since last month?

Are you studying English now?
Do you study English every day?
Are you going to study English next year?
Did you study English two years ago?
Have you studied English lately?

Have you studied English lately?
Has your sister studied English lately?
Does your sister study English every Monday night?
Is your sister going to study English next summer?

Are you going to study English next summer?
Did you study English last year?
Did you speak English last year?
Do you speak English every day?

Actividad 8

¿Es un estudiante en este momento?
¿Era un estudiante el año pasado?
¿Va a ser un estudiante el próximo año?
¿Es un estudiante desde el mes pasado?

¿Está estudiando inglés en este momento?
¿Estudia inglés cada día?
¿Va a estudiar inglés el próximo año?
¿Estudiaba inglés hace dos años?
¿Ha estudiado inglés últimamente?

¿Ha estudiado inglés últimamente?
¿Ha estudiado inglés su hermana últimamente?
¿Estudia inglés su hermana los lunes por la noche?
¿Va a estudiar inglés su hermana el próximo verano?

¿Va a estudiar inglés el próximo verano?
¿Estudió inglés el año pasado?
¿Habló inglés el año pasado?
¿Habla inglés cada día?

Notas

Notas

Notas